Sudoku
For Kids

ARCTURUS

ARCTURUS

This edition published in 2019 by Arcturus Publishing Limited
26/27 Bickels Yard, 151–153 Bermondsey Street,
London SE1 3HA

ISBN: 978-1-78888-481-5
CH006441NT
Supplier 08, Date 0619, Print run 9048

Cover illustration by Adam Clay
Edited by Becca Clunes

Printed in Denmark

CONTENTS

HOW TO PLAY SUDOKU

Sudoku is a puzzle in a grid. They're great fun, and you don't need to be good at sums to solve them!

Every grid is made up of rows, columns, and boxes of squares. Here is a small grid, showing you the rows, columns, and boxes:

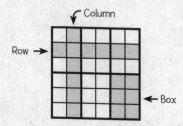

It's best to start with the smaller puzzles until you know how to play, then move up to the next size:

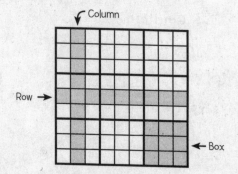

Before long, you'll be ready to tackle even the larger Sudoku puzzles!

When you first start a Sudoku puzzle, you will see a grid, with some numbers already filled in. Here is an example:

	2	3	
		4	
	3		1

You have to fill in the rest of the numbers.

If you look at the grid below, you could start by thinking about which number should go in the top right corner:

	2	3	
		4	
	3		1

There is another number in the right-hand column at the bottom, a 1. This means that the number can't be a 1 (otherwise there would be two 1s in that column). And there is already a 2 and a 3 in the top row, so the number in the top right corner must be a 4. Once we have filled this in, we can see that the last number to fit in the top row is a 1, which goes next to the 2, just like this:

Now look at the box in the top right. Can you tell where the 1 should go? It can't go below the 4, because of the 1 already in that column, so it can only go below the 3. The number in the remaining space must be a 2, to give you the numbers 1, 2, 3, and 4 in that box:

1	2	3	4
		1	2
		4	
	3		1

The remaining number in the far right column is a 3, and that goes in the remaining square:

1	2	3	4
		1	2
		4	3
	3		1

You could now go on to fill in the remaining number in the third column, a 2. The obvious next step is to fill in the last number in the bottom row—a 4.

After that, look at the third row, and decide where you think the 2 should be. It can't be in the second column, because there is already a 2 in the second column, so it must be in the first column.

When you've done that, the grid should look like this:

1	2	3	4
		1	2
2		4	3
4	3	2	1

You can see the remaining square in the bottom left box must be a 1:

1	2	3	4
		1	2
2	1	4	3
4	3	2	1

From here, it's easy to fill in the two remaining numbers, a 3 and a 4, into the top left box; and the finished puzzle looks like this:

1	2	3	4
3	4	1	2
2	1	4	3
4	3	2	1

Not all puzzles contain numbers. Some have shapes, like this example, where you can see the puzzle and its solution side by side:

Shapes: ●, ✕, ■, ▲, ✚, and ★

The puzzles that contain shapes can all be played in just the same way as the ones that contain numbers.

WHICH NUMBERS TO USE

In a number puzzle,

1, 2, 3, and 4
are used in
grids of this
size:

1, 2, 3, 4, 5,
and 6 are
used in grids
of this size:

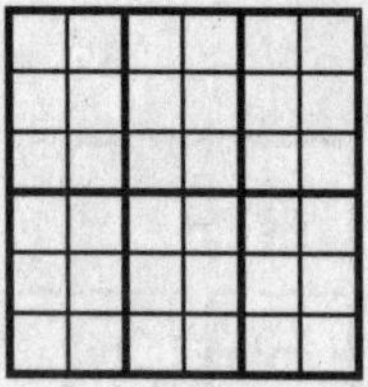

and 1, 2, 3, 4, 5, 6, 7, 8, and 9 are
used in grids of this size:

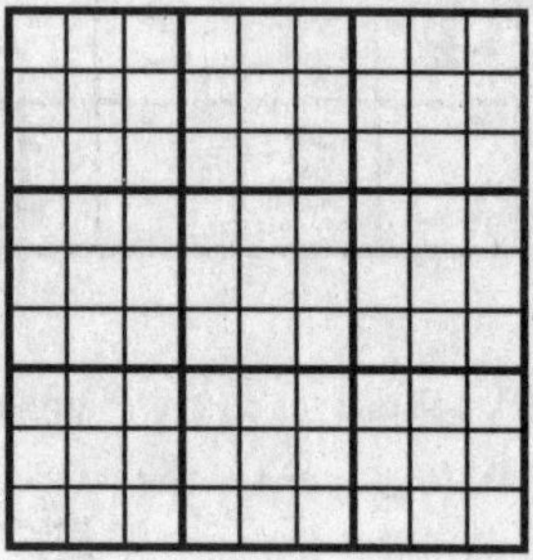

Where puzzles contain shapes, the shapes to be used will always be
shown next to the grid.

Solutions to all of the puzzles can be found at the back of the book.

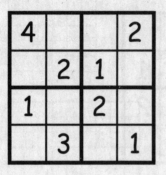

1

4			2
	2	1	
1		2	
	3		1

2

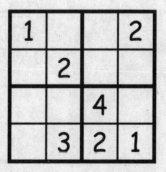

1			2
	2		
		4	
	3	2	1

3

		2	
4			1
3			2
		4	

4

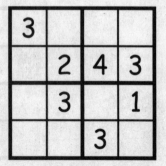

3			
	2	4	3
	3		1
		3	

5

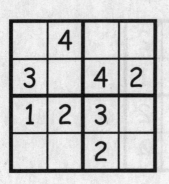

6

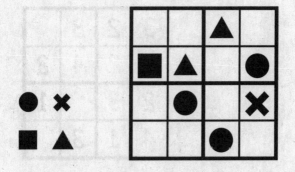

★☆☆

7

	1		2
4		3	
	4	2	
2			4

8

	2	3	
3			2
2			1
4	1	2	

9

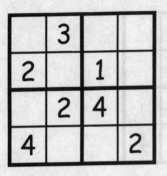

10

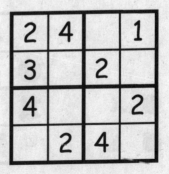

★☆☆

11

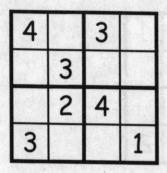

12

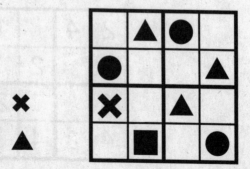

13

	3		1
4		2	
	2	3	4

14

	4	3	
2			1
		1	
4			3

15

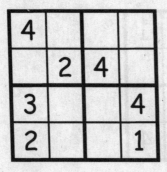

4			
	2	4	
3			4
2			1

16

1			4
3			2
		4	3
	3	2	

17

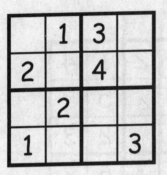

	1	3	
2		4	
	2		
1			3

18

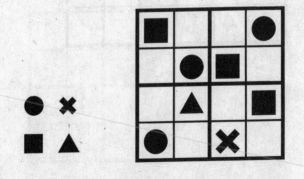

			2	1	4
				5	
1	5	6		2	3
5	1		3	6	2
	6				
2	4	1			

	5	2		1	3
1			3	5	6
		5			
			5		
5	6	3			1
2	1		4	3	

2		1	3		5
		2		1	6
5			6		
		6			3
6	5		4		
1		5	2		4

	6		3		5
5		4		3	
	2		5		6
2		3		6	
	3		1		4
1		6		5	

6		1		3	5
5		2		6	
	3		6		
		6		5	
	6		5		2
3	5		2		6

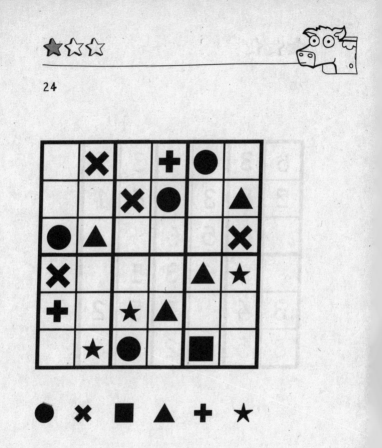

★☆☆

25

	3				
2	5	3		4	1
	6	5			
			3	1	
3	4		1	5	2
				3	

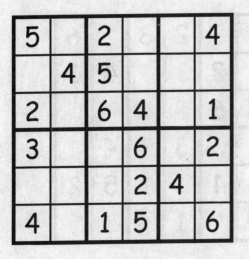

5		2			4
	4	5			
2		6	4		1
3			6		2
			2	4	
4		1	5		6

		2	3		6
	2			5	3
3	6		1		
		3		4	1
4	1			3	
2		1	4		

28

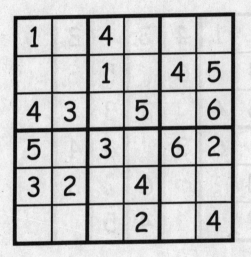

1		4			
		1		4	5
4	3		5		6
5		3		6	2
3	2		4		
			2		4

	1	4			2
3		6			
6	4		2	3	
	6	3		1	4
			6		3
1			4	5	

30

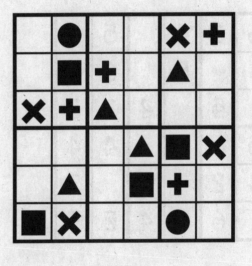

● ✖ ■ ▲ ✚ ★

29

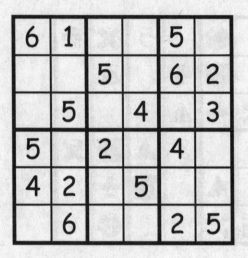

6	1			5	
		5		6	2
	5		4		3
5		2		4	
4	2		5		
	6			2	5

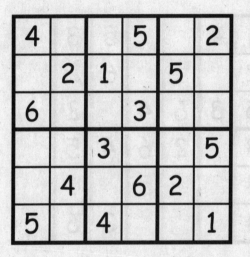

4			5		2
	2	1		5	
6			3		
		3			5
	4		6	2	
5		4			1

★☆☆

33

1	4				3
2					
5	3	6	4		2
3		2	6	4	5
					1
4				3	6

3					1
		3	2		
2			5	3	6
1	2	5			3
		2	3		
4					2

		4			6
6		2	3	4	1
		6		5	
	2		6		
4	6	3	2		5
5			4		

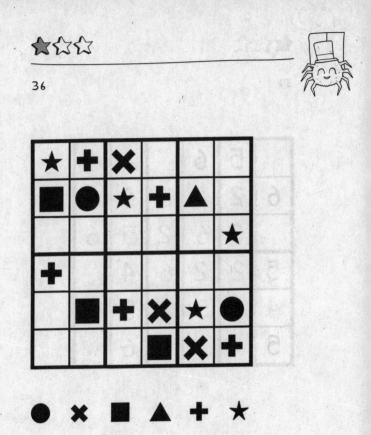

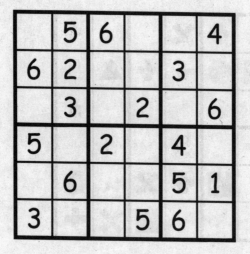

	5	6			4
6	2			3	
	3		2		6
5		2		4	
	6			5	1
3			5	6	

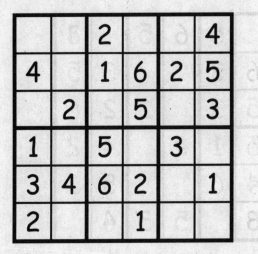

		2			4
4		1	6	2	5
	2		5		3
1		5		3	
3	4	6	2		1
2			1		

39

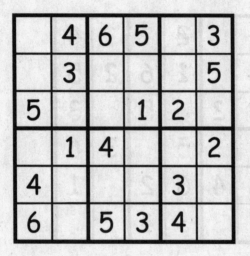

	4	6	5		3
	3				5
5			1	2	
	1	4			2
4				3	
6		5	3	4	

		4	1	2	3
		2	6	1	
2	1				
				3	6
	6	3	2		
1	3	6	4		

★☆☆

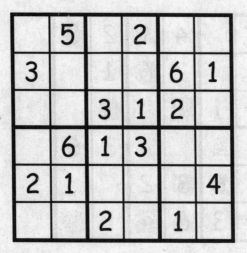

	5		2		
3				6	1
		3	1	2	
	6	1	3		
2	1				4
		2		1	

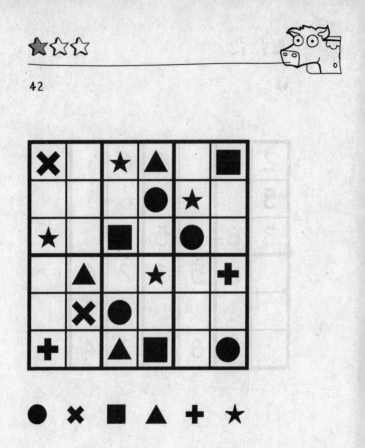

43

2	1		4	6	
5					
3	6	1	5		
		5	1	2	6
					1
	5	6		3	4

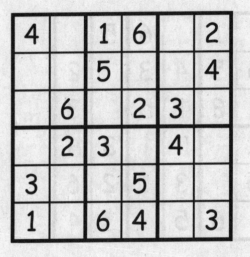

4		1	6		2
		5			4
	6		2	3	
	2	3		4	
3			5		
1		6	4		3

			6	5	
6	5	4	3		2
	2				3
2				3	
5		3	1	2	6
	6	5			

	3	5		6	
5	6			1	
		2	6		5
3		6	2		
	5			2	3
	2		5	4	

	6			5	3
			5	1	2
5		1			6
2			6		1
3	1	4			
6	5			2	

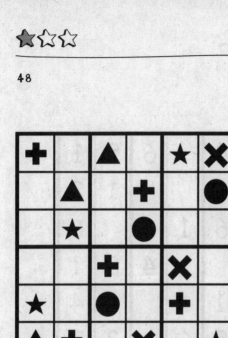

● ✖ ■ ▲ ✚ ★

3	4		6	5	1
1					2
	6	1			
			4	2	
6					4
4	2	6		3	5

50

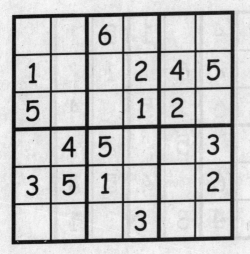

3			1	2	
4	2	6		1	
			5		4
1		5			
	6		4	5	3
	4	3			1

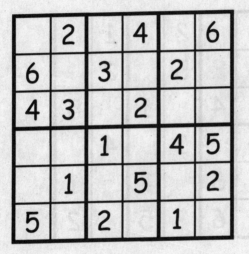

	2		4		6
6		3		2	
4	3		2		
		1		4	5
	1		5		2
5		2		1	

6		2		1	
3		5		2	
	4		1		5
5		1		4	
	3		2		1
	6		5		2

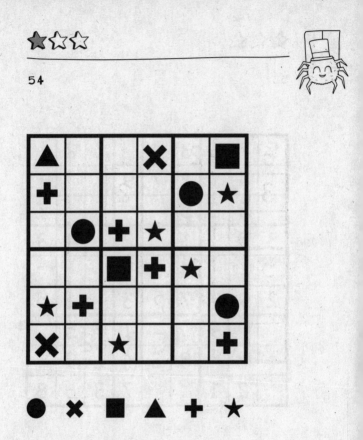

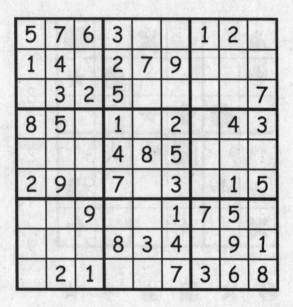

5	7	6	3			1	2	
1	4		2	7	9			
	3	2	5					7
8	5		1		2		4	3
			4	8	5			
2	9		7		3		1	5
		9			1	7	5	
			8	3	4		9	1
	2	1			7	3	6	8

	3		8	1			2	
8		4		6	3	7	9	
			2		7	6		8
2		3			8		5	
1	9	8	6		4	3	7	2
	7		1			9		6
3		2	4		1			
	1	7	3	8		2		9
	4			2	6		1	

6			5		2	7		4
	4	5		7	9		6	
	9	7		4		2	5	
4	5		9	3	1	8		7
9				8				5
7		2	6	5	4		3	9
	6	1		2		9	7	
	7		1	6		4	8	
8		4	7		3			6

4		1		6	2	5		3
3	6	8	4				9	
2				8	3	4		
	2	9	3		6	7		4
1			2		8			6
5		6	7		9	8	1	
		4	8	3				5
	8				4	1	7	9
7		2	6	9		3		8

59

		6	4		8		7	2
7	9	8		5		4		6
		2		7	6	3	5	
2	7		6				9	
9			7	8	4			3
	5				1		4	7
	1	5	8	4		2		
3		7		2		1	6	4
4	2		1		3	7		

	9	3		4				7
7	2		9		6	3	5	
		1	3	7	5		9	
	4	5	6		7	9	1	
3				9				8
	6	7	8		1	2	4	
	3		4	5	9			6
	5	6	7		3		2	9
1				6		5	3	

		3		4	7	1		9
8	4			9			2	7
	2	9	1		5		4	
3	8	6		1		9		
5			9	3	8			1
		4		6		3	7	8
	1		4		6	8	3	
2	6			5			9	4
4		5	8	7		2		

62

6		5	1	2			4	7
7		3			4		5	2
8			7	6		1		
	3		8	4		5		
2		7	3	5	1	9		6
		8		9	2		3	
		1		7	9			5
	7	9	4			2		8
4	6			1	8	3		9

9	2		3		1			6
4	6	1	2	8	9		3	
3				4		1		
5	8	9	1	2	4		6	
		4				9		
	3		8	9	7	4	1	5
		3		1				4
	4		9	5	6	3	7	8
6			4		8		5	1

6		8	1				2	9
	5	7		2	9	4	8	
		2		3	8	1		
	2			9		6	4	8
3			4	8	2			7
9	8	4		7			1	
		9	2	4				1
	4	3	9	1		2	5	
2	7				5	9		4

7		5	8	9	4		2	
	9			1			8	7
		3		2	5	6		
	4		3	7		9	5	2
1		7		4		8		6
3	2	9		8	6		1	
		1	4	3		2		
2	3			5			9	8
	8		9	6	2	1		3

2		3	6	8		7		1
6	5		2		9		8	3
		1		5		6	2	
1	7	6	9					5
		5	4	6	1	2		
4					5	1	9	6
	1	4		9		5		
7	6		5		2		1	4
5		2		4	6	9		7

1		9	6		7	4		
7		5			9		3	
		6	5	1	8	9		7
2	5		1		3	7		9
3		7		2		8		1
8		1	7		5		4	3
5		8	3	9	2	6		
	4		8			5		2
		2	4		1	3		8

4	3		5		9		2	6
		6	1		4			8
	8	5		6			3	
1	2	4	6	5	8		7	9
		9				6		
3	6		4	9	2	5	8	1
	9			2		4	6	
6			9		5	8		
7	1		8		6		9	5

69

5		4		2	3	6		9
1			9	4		5	3	
3	2	9		6	5	8		
2		7		3		4		1
6			7	8	4			3
4		3		1		7		6
		6	3	7		2	4	5
	4	2		5	1			7
7		5	4	9		1		8

2	1	8		7	3		9	4
	6	3		9		1	2	7
7	4		2					
		6	5	1	2	7		3
	7			3			4	
8		2	7	4	6	9		
					9		7	5
9	5	1		8		6	3	
6	8		3	2		4	1	9

6			4			7		3
8	2	3	7		1		4	
7	9			5	6			8
9	6	1		2	7	3	5	
4				6				7
	8	7	1	4		9	6	2
1			5	3			8	9
	5		6		9	4	3	1
3		9			8			5

1	8		3	5	4		7	
7				9	2		1	5
	5	2	8			4		3
9		6		8	5	1		7
			2	7	3			
5		7	1	6		2		4
2		4			1	5	6	
8	7		9	4				1
	6		5	2	8		4	9

73

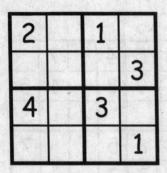

2		1	
			3
4		3	
			1

74

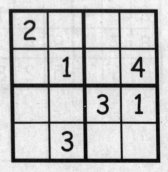

2			
	1		4
		3	1
	3		

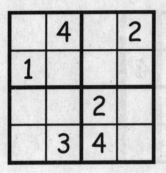

75

76

	3		
2			4
1		2	
3			

78

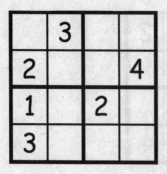

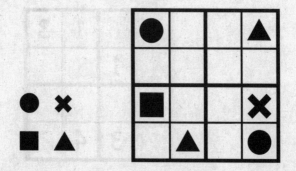

79

	4		2
3			
	1		
	3		4

80

	1		4
		3	
4			
	3		2

★★☆

81

1			2
	4		
	1		
4			3

82

3	4		
1			3
	3	1	
			2

83

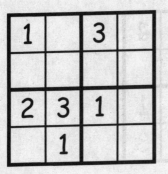

1		3	
2	3	1	
	1		

84

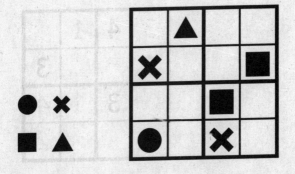

★★☆

85

		1	4
1			
	3		1
2			

86

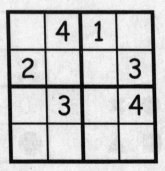

	4	1	
2			3
	3		4

87

	3	2	
2			
		4	
	2		1

88

	1		3
1		3	
2			4

	4	3	
1			
	2	1	
			4

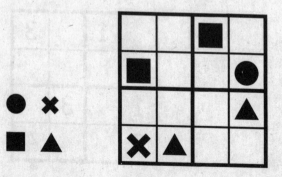

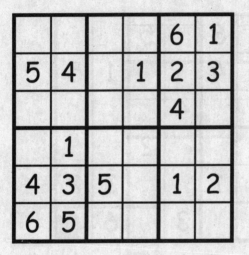

				6	1
5	4		1	2	3
				4	
	1				
4	3	5		1	2
6	5				

	6		5		
3	4			1	5
		4			
			2		
6	1			3	2
		3		6	

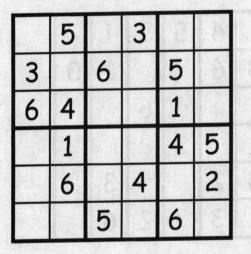

	5		3		
3		6		5	
6	4			1	
	1			4	5
	6		4		2
		5		6	

	4	5		1	
	6			2	3
			6		
		3			
4	2			3	
	3		2	6	

5			1		
	3	4		6	
		3			1
2			3		
	1		6	5	
		1			2

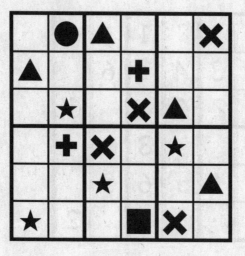

● ✖ ■ ▲ ✚ ★

97

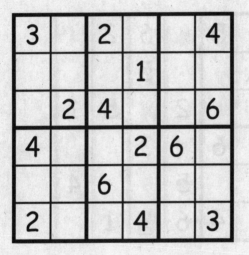

	5			6	2	
2				5	
		2		5	1
1	6		2		
		5			4
	4	6		1	

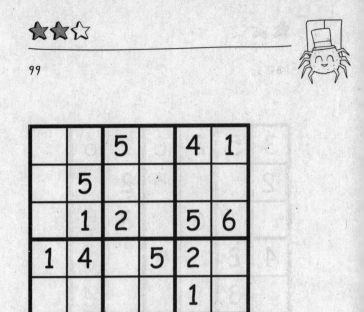

		5		4	1
	5				
	1	2		5	6
1	4		5	2	
				1	
2	3		4		

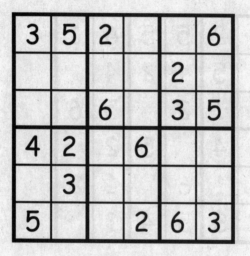

3	5	2			6
				2	
		6		3	5
4	2		6		
	3				
5			2	6	3

	2		5	6	
3			2	4	
		3			
			1		
	1	6			2
	3	5		1	

102

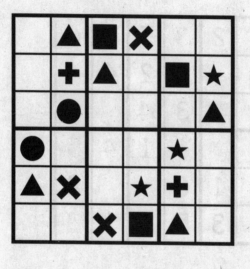

4		3		2	6
					4
3	2		4		
		1		4	5
6					
1	5		2		3

5			3		
3					2
6	4	2	5		
		4	6	2	3
2					6
		3			5

★★☆

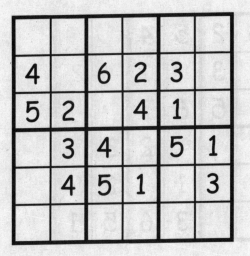

4		6	2	3	
5	2		4	1	
	3	4		5	1
	4	5	1		3

106

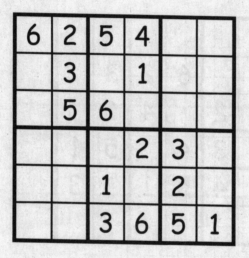

6	2	5	4		
	3		1		
	5	6			
			2	3	
		1		2	
		3	6	5	1

107

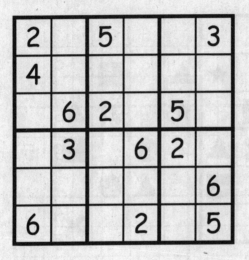

108

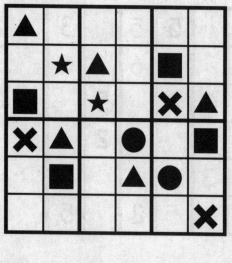

★★☆

109

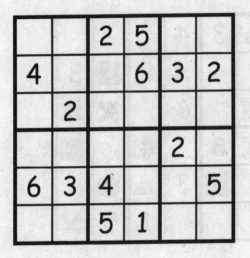

		2	5		
4			6	3	2
	2				
				2	
6	3	4			5
		5	1		

	3	4			
			2		3
		6		4	5
1	6		4		
5		3			
			1	5	

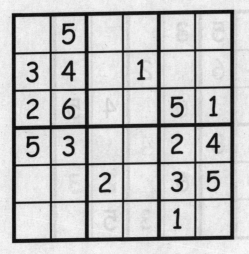

	5				
3	4		1		
2	6			5	1
5	3			2	4
		2		3	5
				1	

112

	5	3			
4	6		2		
				4	5
6	3				
		6		2	3
			3	5	

113

	5		3		
3			1	4	6
4					5
2					3
5	4	3			1
		2		6	

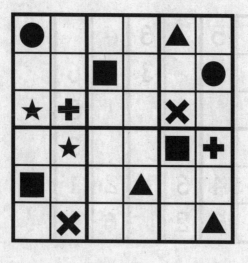

● ✖ ■ ▲ ✚ ★

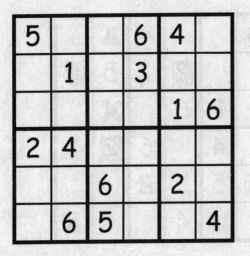

5			6	4	
	1		3		
				1	6
2	4				
		6		2	
	6	5			4

6			4		
		2	1	5	
	2	6		4	
	4		6	2	
	5	3	2		
		4			3

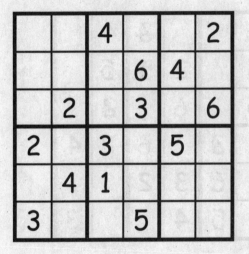

		4			2
			6	4	
	2		3		6
2		3		5	
	4	1			
3			5		

			3	4	
3		2	5	1	
5				2	
	3				4
	6	3	2		1
	5	4			

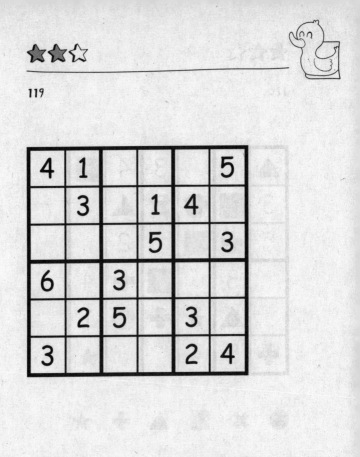

4	1				5
6	3		1	4	
			5		3
6		3			
	2	5		3	
3				2	4

120

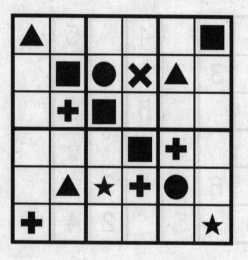

121

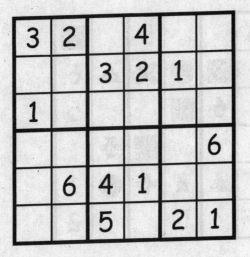

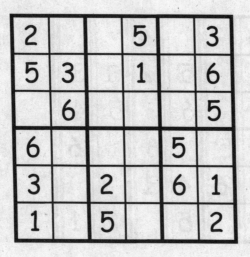

2			5		3
5	3		1		6
	6				5
6				5	
3		2		6	1
1		5			2

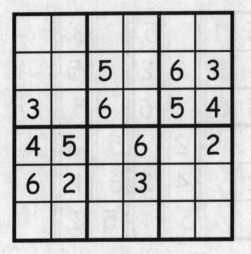

★★☆

124

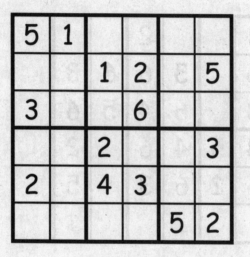

5	1				
		1	2		5
3			6		
		2			3
2		4	3		
				5	2

4			2		
5		3	6	1	
			4		6
3		4			
	1	6	3		5
		2			1

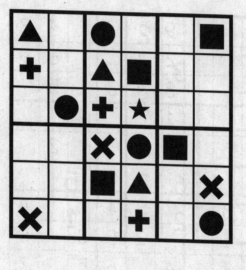

5			1	9		7		4	3
8			3	2	1			6	9
7				8	4	3	1	5	
				1			4		
	5				7			2	
		4				8			
	8	5	7	3	1				4
4	1				2	9	3		6
9	3		4			6	5		7

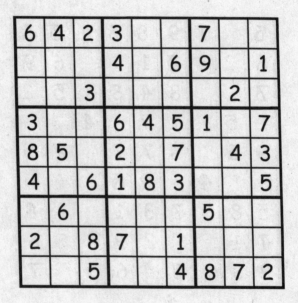

6	4	2	3			7		
6	4	2	3			7		
			4		6	9		1
		3					2	
3			6	4	5	1		7
8	5		2		7		4	3
4		6	1	8	3			5
	6					5		
2		8	7		1			
		5			4	8	7	2

6		7		8	3	1	5	9
	2		7					6
3					9			2
	5		1	7		2		
9	6		4		2		7	5
		3		9	5		6	
5			9					8
7					8		3	
8	9	6	3	4		5		7

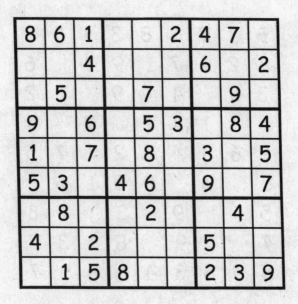

8	6	1			2	4	7	
		4				6		2
	5			7			9	
9		6		5	3		8	4
1		7		8		3		5
5	3		4	6		9		7
	8			2			4	
4		2				5		
	1	5	8			2	3	9

9	3	5	6	8				2
8		4			9	3		1
	6		4					
1		1	3	7		9		5
	8	3				7	4	
5		7		6	4	1		
					3		1	
4		6	9			2		7
3				2	6	8	5	4

7		9		8		6		2
				3	6			
4	3	6			2		7	8
5	4				8		1	
1		7	6		4	5		3
	6		1				8	4
2	7		8			9	4	1
			2	1				
6		8		4		3		7

133

8				5			6	3
		2		8		5		7
7	3	5		6	4	1	9	
			4	7	2			
3		4	5		6	7		1
			1	3	8			
	7	8	9	2		4	1	5
1		9		4		3		
4	2			1				6

134

4	3							9
2		1	3		9	8		
			1	7	6	3	2	
8	6		5	9		2		7
	2	9				1	4	
3		5		2	7		6	8
	9	7	2	3	4			
		3	9		8	6		2
1							9	3

6						4	1	9
	5	7	1		6			8
	1				9	5		7
8		2	5				7	
	3	6	7		2	9	5	
	7				4	2		1
3		8	6				4	
4			9		8	7	3	
7	6	5						2

	4		8		7		6	9
8	5	9	6	1	2	4		
				4	9			2
5				2			8	6
		3	7		6	1		
9	2			8				4
2			9	7				
		8	2	5	4	3	9	7
7	9		3		8		4	

★★☆

	4		9	1	2	5		7
		2	8	5		1		
3	1				7		2	
			1		4			8
2	8			3			9	5
4			5		9			
	2		3				8	1
		3		6	1	9		
1		6	2	9	8		5	

2		6		4		3		9
	1			2		5	6	
3	4				6	7		2
		1		8	5		3	
8	2			6			9	5
	3		4	9		8		
6		3	1				4	8
	9	2		7			5	
4		5		3		9		1

7	4		2		1		9	3
						8	2	
2		5	8	3	9			7
6			9		2	3	5	4
4								6
1	5	3	7		6			2
8			4	9	7	1		5
	9	4						
3	7		6		8		4	9

★★☆

140

	2		9		3	8	7	6
		5	1				2	3
	8	7	6	4	2		9	1
	7	3	8					
9	4						8	5
					6	3	4	
7	6		4	1	5	9	3	
1	3				7	6		
2	5	4	3		9		1	

	2				5	9	3	4	
5			3	4		7	8	
3	9	4	1		8			
		8		3			2	4
4			5		6			7
7	6			2		5		
			8		5	4	1	3
	4	5		9	3			6
	8	3	4	1			5	

7		8	4		2			
4	9		1	8		7	3	6
3					6	2	4	
	7	4		1				9
6		1				3		2
8				2		4	6	
	4	7	9					3
9	8	3		7	1		5	4
			3		4	8		7

★★☆

143

9			7	2		1		6
7		2		4		3	8	9
	3						7	
	9	4			2		1	7
1		6		8		9		3
3	8		5			4	6	
	4						2	
6	7	3		1		5		8
2		5		7	9			4

	5		1		2			6
		2		6		3		7
	8	1		3	9		2	5
	9		5		4	2		
4	7		3		8		6	1
		8	6		1		7	
5	6		9	1		7	8	
3		7		8		1		
8			2		7		4	

145

5	4			1	3		2	6
						7		
8				9	4		1	3
9		4		3	7	1		2
	5		9		1		6	
1		7	6	5		9		8
6	1		3	8				9
		3						
7	8		4	2			3	1

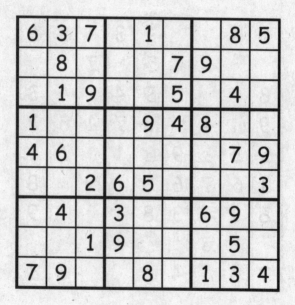

6	3	7		1			8	5
	8				7	9		
	1	9			5		4	
1				9	4	8		
4	6						7	9
		2	6	5				3
	4		3			6	9	
		1	9				5	
7	9			8		1	3	4

★★☆

147

4	5			9			1	3
			4	5		2	6	
9			1	8				7
		4			5		8	1
5	2	3		6		9	7	4
8	6		7			5		
2				3	8			5
	1	5		7	4			
3	8			1			4	6

7	2	9		1			6	
			6	9			8	
5				4	3	1		7
						8	3	6
6	1		4	7	8		5	9
8	5	2						
3		5	7	2				8
	4			8	1			
	8			6		4	2	5

3		5		4		7		2
		7	3	2	1		5	
9			7	5	8		4	3
			1					
2	9			8			7	6
					3			
1	7		5	3	9			8
	2		8	6	4	1		
8		4		1		9		5

150

	4			3		2		8
8			5	1		4		
	3	5			4		1	
4		9		6	1			
	2	6	3		8	9	7	
			4	9		1		6
	1		6			5	9	
		3		2	9			1
2		4		7			6	

	7				9	4		3
9		1	3				8	5
			5		6	1		
		9			5		7	
6		7	2	1	4	9		8
	2		9			1		
	6	2		4				
4	9				1	3		7
8		3	7				4	

		8		7			9	6
	2		9					5
9		6			8	7	3	
4		9	6			5	2	
	6		7		4		8	
	8	7			5	9		4
	9	4	5			6		2
6					9		5	
3	5			6		4		

6	4				5		3	1
9			8			2	4	
	7			6	3	9		
	6		1	4	2	5		8
2		4	7	5	8		1	
		9	6	1			5	
	2	7			4			9
5	1		2				7	4

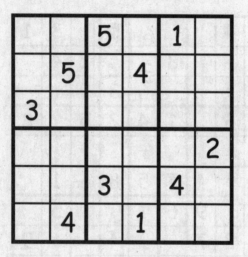

		5		1	
	5		4		
3					
					2
		3		4	
	4		1		

155

	5	1	6	3	
6			3	4	
		4			
			4		
	1	6			4
	4	3	1	6	

156

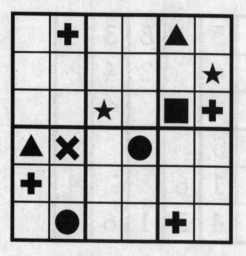

● ✖ ■ ▲ ✚ ★

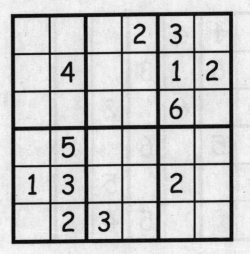

			2	3	
	4			1	2
				6	
	5				
1	3			2	
	2	3			

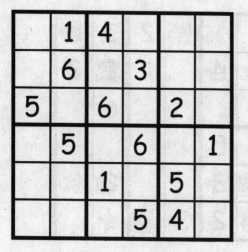

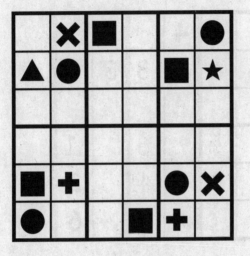

● ✖ ■ ▲ ✚ ★

★★★

160

1		4			
6		2		3	
	3		4		2
			5		6

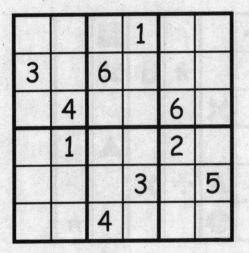

			1		
3		6			
	4			6	
	1			2	
			3		5
		4			

162

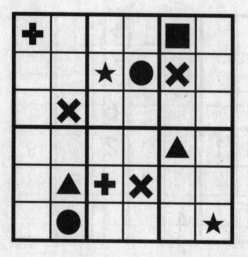

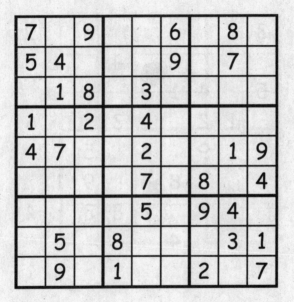

7		9			6		8	
5	4				9		7	
	1	8		3				
1		2		4				
4	7			2			1	9
				7		8		4
				5		9	4	
	5		8				3	1
	9		1			2		7

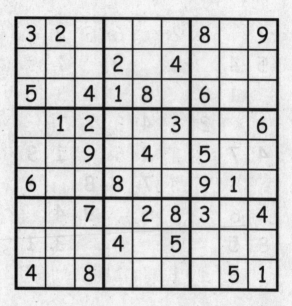

3	2					8		9
			2		4			
5		4	1	8		6		
	1	2			3			6
		9		4		5		
6			8			9	1	
		7		2	8	3		4
			4		5			
4		8					5	1

165

			2			6		
1	3		8				4	9
		8		4			3	
		1			8		7	
4	7		1		6		5	3
	8		7			9		
	6			8		2		
8	1				2		9	7
		3			1			

2			7		3			6
	6			9				
5					6	7	8	
	5	4	9			1		2
			2		5			
9		7			4	5	6	
	8	5	6					7
				1			9	
6			5		2			1

			9				3	2
		8	2		7			1
3		9	1		5	6		7
2			6			8	7	
		6				1		
	5	7			3			6
4		1	5		9	3		8
6			4		8	9		
9	8			2				

168

4					9			3
		3		1		4		8
8		6		5		7		
3				8		5	2	6
1				3				7
2	4	5		9				1
		2		4		1		5
5		4		2		3		
9			1					4

	1							7
		7		4	1	5	8	3
	5	6	3	7				1
			1				7	9
		5				8		
1	6				2			
6				8	7	1	5	
5	8	1	9	3		7		
4							9	

5		7		9	2	1		3
						8		2
	1							9
			2	7		6	9	4
6			1		9			7
2	7	9		6	4			
8							2	
1		3						
7		4	5	3		9		6

5			6			3		1
	1	7		5	9			
	9	6		3		7	5	
			7	9			2	
			8		6			
	6			2	5			
	2	4		7		6	1	
			9	4		2	7	
7		1			8			5

	4	7		6		3		5
		5	4			1	7	
			7		8	4	2	
		2				5	3	4
5								8
1	3	8				9		
	5	1	6		4			
	8	9			1	6		
2		6		9		8	4	

173

		7			3			9
9	3	6	4	5	8	1	2	
2								
	8			9	1		7	
6		9				5		8
	7		8	6			3	
								1
	1	3	7	8	9	2	4	6
4			6			7		

2			6					1
	8			3				
5		3	4		1		2	
9				4			6	8
		8	2	9	6	5		
4	3			7				9
	4		9		8	3		6
				1			5	
3					7			4

175

4					8	1		
	6		7	4		3		2
	9	1			6	4		
	3		5				1	
1		9		6		5		3
	5				9		8	
		2	4			8	6	
9		6		7	3		4	
		4	6					9

176

1			6			9	5	
7		9			4			
				9	5	7	2	
2			3		1			
	9	5		7		6	1	
			5		9			7
	2	3	9	5				
			7			2		9
	7	4			2			3

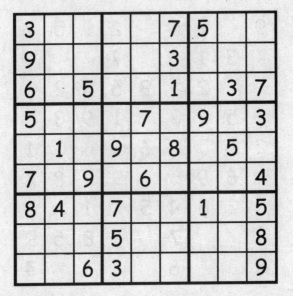

3					7	5		
	9					3			
6		5			1		3	7
5				7		9		3
	1		9		8		5	
7		9		6				4
8	4		7			1		5
			5					8
		6	3					9

★★★

178

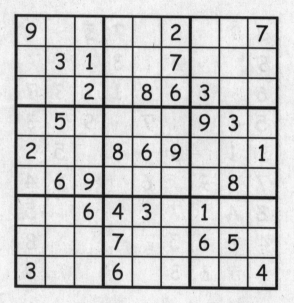

9					2			7
	3	1			7			
		2		8	6	3		
	5					9	3	
2			8	6	9			1
	6	9					8	
		6	4	3		1		
			7			6	5	
3			6					4

179

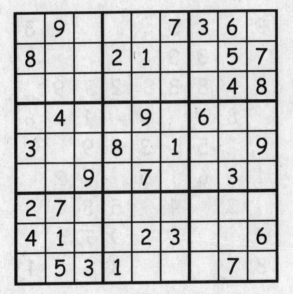

	9				7	3	6	
8			2	1			5	7
							4	8
	4			9		6		
3			8		1			9
		9		7			3	
2	7							
4	1			2	3			6
	5	3	1				7	

169

9			5					8
		3	9					5
		8	3		2		9	
	8			9		1		6
		5		3		9		
1		6		5			2	
	3		4		5	8		
4					9	7		
8					3			1

181

	8	1						
				5	6		7	9
	7			9		2		4
	9	8	6					1
	6			8			2	
2					9	5	6	
3		7		6			9	
1	5		7	2				
						3	5	

Solutions

4	1	3	2
3	2	1	4
1	4	2	3
2	3	4	1

1

1	4	3	2
3	2	1	4
2	1	4	3
4	3	2	1

2

1	3	2	4
4	2	3	1
3	4	1	2
2	1	4	3

3

3	4	1	2
1	2	4	3
4	3	2	1
2	1	3	4

4

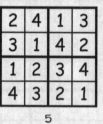

5

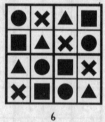

6

3	1	4	2
4	2	3	1
1	4	2	3
2	3	1	4

7

1	2	3	4
3	4	1	2
2	3	4	1
4	1	2	3

8

1	3	2	4
2	4	1	3
3	2	4	1
4	1	3	2

9

Solutions

10

2	4	3	1
3	1	2	4
4	3	1	2
1	2	4	3

11

4	1	3	2
2	3	1	4
1	2	4	3
3	4	2	1

12

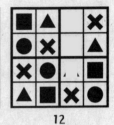

13

2	3	4	1
4	1	2	3
3	4	1	2
1	2	3	4

14

1	4	3	2
2	3	4	1
3	2	1	4
4	1	2	3

15

4	3	1	2
1	2	4	3
3	1	2	4
2	4	3	1

16

1	2	3	4
3	4	1	2
2	1	4	3
4	3	2	1

17

4	1	3	2
2	3	4	1
3	2	1	4
1	4	2	3

18

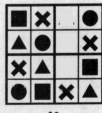

Solutions

6	3	5	2	1	4
4	2	3	1	5	6
1	5	6	4	2	3
5	1	4	3	6	2
3	6	2	5	4	1
2	4	1	6	3	5

19

4	5	2	6	1	3
1	2	4	3	5	6
6	3	5	1	2	4
3	4	1	5	6	2
5	6	3	2	4	1
2	1	6	4	3	5

20

2	6	1	3	4	5
3	4	2	5	1	6
5	1	4	6	3	2
4	2	6	1	5	3
6	5	3	4	2	1
1	3	5	2	6	4

21

4	6	2	3	1	5
5	1	4	6	3	2
3	2	1	5	4	6
2	5	3	4	6	1
6	3	5	1	2	4
1	4	6	2	5	3

22

6	2	1	4	3	5
5	1	2	3	6	4
4	3	5	6	2	1
2	4	6	1	5	3
1	6	3	5	4	2
3	5	4	2	1	6

23

★	✖	▲	✚	●	■
■	✚	✖	●	★	▲
●	▲	■	★	✚	✖
✖	●	✚	■	▲	★
✚	■	★	▲	✖	●
▲	★	●	✖	■	✚

24

4	3	1	2	6	5
2	5	3	6	4	1
1	6	5	4	2	3
5	2	4	3	1	6
3	4	6	1	5	2
6	1	2	5	3	4

25

5	1	2	3	6	4
6	4	5	1	2	3
2	3	6	4	5	1
3	5	4	6	1	2
1	6	3	2	4	5
4	2	1	5	3	6

26

5	4	2	3	1	6
1	2	4	6	5	3
3	6	5	1	2	4
6	5	3	2	4	1
4	1	6	5	3	2
2	3	1	4	6	5

27

Solutions

28

1	5	4	6	2	3
2	6	1	3	4	5
4	3	2	5	1	6
5	4	3	1	6	2
3	2	6	4	5	1
6	1	5	2	3	4

29

5	1	4	3	6	2
3	2	6	1	4	5
6	4	5	2	3	1
2	6	3	5	1	4
4	5	1	6	2	3
1	3	2	4	5	6

30

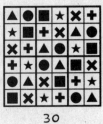

31

6	1	3	2	5	4
3	4	5	1	6	2
2	5	6	4	1	3
5	3	2	6	4	1
4	2	1	5	3	6
1	6	4	3	2	5

32

4	1	6	5	3	2
3	2	1	4	5	6
6	5	2	3	1	4
2	6	3	1	4	5
1	4	5	6	2	3
5	3	4	2	6	1

33

1	4	5	2	6	3
2	6	3	1	5	4
5	3	6	4	1	2
3	1	2	6	4	5
6	5	4	3	2	1
4	2	1	5	3	6

34

3	5	4	6	2	1
6	1	3	2	4	5
2	4	1	5	3	6
1	2	5	4	6	3
5	6	2	3	1	4
4	3	6	1	5	2

35

3	1	4	5	2	6
6	5	2	3	4	1
2	4	6	1	5	3
1	2	5	6	3	4
4	6	3	2	1	5
5	3	1	4	6	2

36

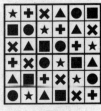

37

1	5	6	3	2	4
6	2	4	1	3	5
4	3	5	2	1	6
5	1	2	6	4	3
2	6	3	4	5	1
3	4	1	5	6	2

38

5	1	2	3	6	4
4	3	1	6	2	5
6	2	4	5	1	3
1	6	5	4	3	2
3	4	6	2	5	1
2	5	3	1	4	6

39

2	4	6	5	1	3
1	3	2	4	6	5
5	6	3	1	2	4
3	1	4	6	5	2
4	5	1	2	3	6
6	2	5	3	4	1

40

6	5	4	1	2	3
3	4	2	6	1	5
2	1	5	3	6	4
4	2	1	5	3	6
5	6	3	2	4	1
1	3	6	4	5	2

41

1	5	6	2	4	3
3	2	4	5	6	1
6	4	3	1	2	5
4	6	1	3	5	2
2	1	5	6	3	4
5	3	2	4	1	6

42

✖	●	★	▲	✚	■
▲	■	✚	●	★	✖
★	✚	■	✖	●	▲
●	▲	✖	★	■	✚
■	✖	●	✚	▲	★
✚	★	▲	■	✖	●

43

2	1	3	4	6	5
5	4	2	6	1	3
3	6	1	5	4	2
4	3	5	1	2	6
6	2	4	3	5	1
1	5	6	2	3	4

44

4	3	1	6	5	2
2	1	5	3	6	4
5	6	4	2	3	1
6	2	3	1	4	5
3	4	2	5	1	6
1	5	6	4	2	3

45

1	3	2	6	5	4
6	5	4	3	1	2
4	2	1	5	6	3
2	1	6	4	3	5
5	4	3	1	2	6
3	6	5	2	4	1

2	3	5	1	6	4
5	6	4	3	1	2
4	1	2	6	3	5
3	4	6	2	5	1
6	5	1	4	2	3
1	2	3	5	4	6

46

1	6	2	4	5	3
4	3	6	5	1	2
5	2	1	3	4	6
2	4	5	6	3	1
3	1	4	2	6	5
6	5	3	1	2	4

47

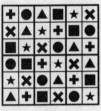

48

3	4	2	6	5	1
1	5	4	3	6	2
2	6	1	5	4	3
5	1	3	4	2	6
6	3	5	2	1	4
4	2	6	1	3	5

49

4	2	6	5	3	1
1	6	3	2	4	5
5	3	4	1	2	6
2	4	5	6	1	3
3	5	1	4	6	2
6	1	2	3	5	4

50

3	5	4	1	2	6
4	2	6	3	1	5
6	1	2	5	3	4
1	3	5	6	4	2
2	6	1	4	5	3
5	4	3	2	6	1

51

1	2	5	4	3	6
6	5	3	1	2	4
4	3	6	2	5	1
2	6	1	3	4	5
3	1	4	5	6	2
5	4	2	6	1	3

52

6	5	2	4	1	3
3	1	5	6	2	4
2	4	3	1	6	5
5	2	1	3	4	6
4	3	6	2	5	1
1	6	4	5	3	2

53

54

177

Solutions

55

5	7	6	3	4	8	1	2	9
1	4	8	2	7	9	5	3	6
9	3	2	5	1	6	4	8	7
8	5	7	1	9	2	6	4	3
6	1	3	4	8	5	9	7	2
2	9	4	7	6	3	8	1	5
3	8	9	6	2	1	7	5	4
7	6	5	8	3	4	2	9	1
4	2	1	9	5	7	3	6	8

56

7	3	6	8	1	9	4	2	5
8	2	4	5	6	3	7	9	1
9	5	1	2	4	7	6	3	8
2	6	3	9	7	8	1	5	4
1	9	8	6	5	4	3	7	2
4	7	5	1	3	2	9	8	6
3	8	2	4	9	1	5	6	7
6	1	7	3	8	5	2	4	9
5	4	9	7	2	6	8	1	3

57

6	3	8	5	1	2	7	9	4
2	4	5	8	7	9	3	6	1
1	9	7	3	4	6	2	5	8
4	5	6	9	3	1	8	2	7
9	1	3	2	8	7	6	4	5
7	8	2	6	5	4	1	3	9
5	6	1	4	2	8	9	7	3
3	7	9	1	6	5	4	8	2
8	2	4	7	9	3	5	1	6

58

4	7	1	9	6	2	5	8	3
3	6	8	4	7	5	2	9	1
2	9	5	1	8	3	4	6	7
8	2	9	3	1	6	7	5	4
1	4	7	2	5	8	9	3	6
5	3	6	7	4	9	8	1	2
9	1	4	8	3	7	6	2	5
6	8	3	5	2	4	1	7	9
7	5	2	6	9	1	3	4	8

59

5	3	6	4	1	8	9	7	2
7	9	8	3	5	2	4	1	6
1	4	2	9	7	6	3	5	8
2	7	4	6	3	5	8	9	1
9	6	1	7	8	4	5	2	3
8	5	3	2	9	1	6	4	7
6	1	5	8	4	7	2	3	9
3	8	7	5	2	9	1	6	4
4	2	9	1	6	3	7	8	5

60

5	9	3	1	4	2	6	8	7
7	2	4	9	8	6	3	5	1
6	8	1	3	7	5	4	9	2
8	4	5	6	2	7	9	1	3
3	1	2	5	9	4	7	6	8
9	6	7	8	3	1	2	4	5
2	3	8	4	5	9	1	7	6
4	5	6	7	1	3	8	2	9
1	7	9	2	6	8	5	3	4

61

6	5	3	2	4	7	1	8	9
8	4	1	6	9	3	5	2	7
7	2	9	1	8	5	6	4	3
3	8	6	7	1	4	9	5	2
5	7	2	9	3	8	4	6	1
1	9	4	5	6	2	3	7	8
9	1	7	4	2	6	8	3	5
2	6	8	3	5	1	7	9	4
4	3	5	8	7	9	2	1	6

62

6	9	5	1	2	3	8	4	7
7	1	3	9	8	4	6	5	2
8	2	4	7	6	5	1	9	3
9	3	6	8	4	7	5	2	1
2	4	7	3	5	1	9	8	6
1	5	8	6	9	2	7	3	4
3	8	1	2	7	9	4	6	5
5	7	9	4	3	6	2	1	8
4	6	2	5	1	8	3	7	9

63

9	2	5	3	7	1	8	4	6
4	6	1	2	8	9	5	3	7
3	7	8	6	4	5	1	2	9
5	8	9	1	2	4	7	6	3
7	1	4	5	6	3	9	8	2
2	3	6	8	9	7	4	1	5
8	5	3	7	1	2	6	9	4
1	4	2	9	5	6	3	7	8
6	9	7	4	3	8	2	5	1

Solutions

64

6	3	8	1	5	4	7	2	9
1	5	7	6	2	9	4	8	3
4	9	2	7	3	8	1	6	5
7	2	5	3	9	1	6	4	8
3	1	6	4	8	2	5	9	7
9	8	4	5	7	6	3	1	2
5	6	9	2	4	3	8	7	1
8	4	3	9	1	7	2	5	6
2	7	1	8	6	5	9	3	4

65

7	6	5	8	9	4	3	2	1
4	9	2	6	1	3	5	8	7
8	1	3	7	2	5	6	4	9
6	4	8	3	7	1	9	5	2
1	5	7	2	4	9	8	3	6
3	2	9	5	8	6	7	1	4
9	7	1	4	3	8	2	6	5
2	3	6	1	5	7	4	9	8
5	8	4	9	6	2	1	7	3

66

2	9	3	6	8	4	7	5	1
6	5	7	2	1	9	4	8	3
8	4	1	7	5	3	6	2	9
1	7	6	9	2	8	3	4	5
9	3	5	4	6	1	2	7	8
4	2	8	3	7	5	1	9	6
3	1	4	8	9	7	5	6	2
7	6	9	5	3	2	8	1	4
5	8	2	1	4	6	9	3	7

67

1	2	9	6	3	7	4	8	5
7	8	5	2	4	9	1	3	6
4	3	6	5	1	8	9	2	7
2	5	4	1	8	3	7	6	9
3	6	7	9	2	4	8	5	1
8	9	1	7	6	5	2	4	3
5	1	8	3	9	2	6	7	4
9	4	3	8	7	6	5	1	2
6	7	2	4	5	1	3	9	8

68

4	3	1	5	8	9	7	2	6
2	7	6	1	3	4	9	5	8
9	8	5	2	6	7	1	3	4
1	2	4	6	5	8	3	7	9
8	5	9	7	1	3	6	4	2
3	6	7	4	9	2	5	8	1
5	9	8	3	2	1	4	6	7
6	4	2	9	7	5	8	1	3
7	1	3	8	4	6	2	9	5

69

5	7	4	8	2	3	6	1	9
1	6	8	9	4	7	5	3	2
3	2	9	1	6	5	8	7	4
2	9	7	5	3	6	4	8	1
6	5	1	7	8	4	9	2	3
4	8	3	2	1	9	7	5	6
9	1	6	3	7	8	2	4	5
8	4	2	6	5	1	3	9	7
7	3	5	4	9	2	1	6	8

70

2	1	8	6	7	3	5	9	4
5	6	3	8	9	4	1	2	7
7	4	9	2	5	1	3	6	8
4	9	6	5	1	2	7	8	3
1	7	5	9	3	8	2	4	6
8	3	2	7	4	6	9	5	1
3	2	4	1	6	9	8	7	5
9	5	1	4	8	7	6	3	2
6	8	7	3	2	5	4	1	9

71

6	1	5	4	8	2	7	9	3
8	2	3	7	9	1	5	4	6
7	9	4	3	5	6	1	2	8
9	6	1	8	2	7	3	5	4
4	3	2	9	6	5	8	1	7
5	8	7	1	4	3	9	6	2
1	7	6	5	3	4	2	8	9
2	5	8	6	7	9	4	3	1
3	4	9	2	1	8	6	7	5

72

1	8	9	3	5	4	6	7	2
7	4	3	6	9	2	8	1	5
6	5	2	8	1	7	4	9	3
9	2	6	4	8	5	1	3	7
4	1	8	2	7	3	9	5	6
5	3	7	1	6	9	2	8	4
2	9	4	7	3	1	5	6	8
8	7	5	9	4	6	3	2	1
3	6	1	5	2	8	7	4	9

Solutions

73

2	3	1	4
1	4	2	3
4	1	3	2
3	2	4	1

74

2	4	1	3
3	1	2	4
4	2	3	1
1	3	4	2

75

3	4	1	2
1	2	3	4
4	1	2	3
2	3	4	1

76

4	2	1	3
3	1	2	4
2	4	3	1
1	3	4	2

77

4	3	1	2
2	1	3	4
1	4	2	3
3	2	4	1

78

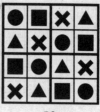

79

1	4	3	2
3	2	4	1
4	1	2	3
2	3	1	4

80

3	1	2	4
2	4	3	1
4	2	1	3
1	3	4	2

81

1	3	4	2
2	4	3	1
3	1	2	4
4	2	1	3

Solutions

3	4	2	1
1	2	4	3
2	3	1	4
4	1	3	2

82

1	4	3	2
3	2	4	1
2	3	1	4
4	1	2	3

83

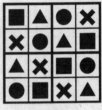

84

3	2	1	4
1	4	3	2
4	3	2	1
2	1	4	3

85

3	4	1	2
2	1	4	3
1	3	2	4
4	2	3	1

86

1	3	2	4
2	4	1	3
3	1	4	2
4	2	3	1

87

4	1	2	3
3	2	4	1
1	4	3	2
2	3	1	4

88

2	4	3	1
1	3	4	2
4	2	1	3
3	1	2	4

89

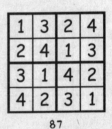

90

Solutions

91

3	2	4	5	6	1
5	4	6	1	2	3
1	6	2	3	4	5
2	1	3	4	5	6
4	3	5	6	1	2
6	5	1	2	3	4

92

2	6	1	5	4	3
3	4	2	6	1	5
1	5	4	3	2	6
4	3	6	2	5	1
6	1	5	4	3	2
5	2	3	1	6	4

93

1	5	4	3	2	6
3	2	6	1	5	4
6	4	2	5	1	3
2	1	3	6	4	5
5	6	1	4	3	2
4	3	5	2	6	1

94

2	4	5	3	1	6
5	6	1	4	2	3
3	1	2	6	5	4
6	5	3	1	4	2
4	2	6	5	3	1
1	3	4	2	6	5

95

5	2	6	1	4	3
1	3	4	2	6	5
4	6	3	5	2	1
2	4	5	3	1	6
3	1	2	6	5	4
6	5	1	4	3	2

96

+	●	▲	★	■	✖
▲	✖	■	+	●	★
■	★	●	✖	▲	+
●	+	✖	▲	★	■
✖	■	★	●	+	▲
★	▲	+	■	✖	●

97

3	5	2	6	1	4
6	4	3	1	2	5
1	2	4	5	3	6
4	3	5	2	6	1
5	1	6	3	4	2
2	6	1	4	5	3

98

4	5	1	6	2	3
2	1	3	5	4	6
6	3	2	4	5	1
1	6	4	2	3	5
3	2	5	1	6	4
5	4	6	3	1	2

99

3	2	5	6	4	1
6	5	4	1	3	2
4	1	2	3	5	6
1	4	6	5	2	3
5	6	3	2	1	4
2	3	1	4	6	5

Solutions

3	5	2	4	1	6
1	6	5	3	2	4
2	4	6	1	3	5
4	2	3	6	5	1
6	3	1	5	4	2
5	1	4	2	6	3

100

1	2	4	5	6	3
3	6	1	2	4	5
5	4	3	6	2	1
6	5	2	1	3	4
4	1	6	3	5	2
2	3	5	4	1	6

101

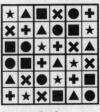

102

4	1	3	5	2	6
5	6	2	1	3	4
3	2	6	4	5	1
2	3	1	6	4	5
6	4	5	3	1	2
1	5	4	2	6	3

103

5	2	1	3	6	4
3	1	6	4	5	2
6	4	2	5	3	1
1	5	4	6	2	3
2	3	5	1	4	6
4	6	3	2	1	5

104

3	6	1	5	4	2
4	1	6	2	3	5
5	2	3	4	1	6
2	3	4	6	5	1
6	4	5	1	2	3
1	5	2	3	6	4

105

6	2	5	4	1	3
4	3	2	1	6	5
1	5	6	3	4	2
5	1	4	2	3	6
3	6	1	5	2	4
2	4	3	6	5	1

106

2	1	5	4	6	3
4	5	6	3	1	2
3	6	2	1	5	4
5	3	4	6	2	1
1	2	3	5	4	6
6	4	1	2	3	5

107

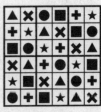

108

3	6	2	5	4	1
4	5	1	6	3	2
1	2	3	4	5	6
5	1	6	3	2	4
6	3	4	2	1	5
2	4	5	1	6	3

109

6	3	4	5	2	1
4	5	1	2	6	3
2	1	6	3	4	5
1	6	5	4	3	2
5	2	3	6	1	4
3	4	2	1	5	6

110

1	5	6	2	4	3
3	4	5	1	6	2
2	6	4	3	5	1
5	3	1	6	2	4
6	1	2	4	3	5
4	2	3	5	1	6

111

1	5	3	4	6	2
4	6	5	2	3	1
3	2	1	6	4	5
6	3	2	5	1	4
5	4	6	1	2	3
2	1	4	3	5	6

112

6	5	4	3	1	2
3	2	5	1	4	6
4	1	6	2	3	5
2	6	1	4	5	3
5	4	3	6	2	1
1	3	2	5	6	4

113

●	■	✕	✚	▲	★
✕	▲	■	★	✚	●
★	✚	▲	●	✕	■
▲	★	●	✕	■	✚
■	●	✚	▲	★	✕
✚	✕	★	■	●	▲

114

5	2	1	6	4	3
6	1	4	3	5	2
4	3	2	5	1	6
2	4	3	1	6	5
3	5	6	4	2	1
1	6	5	2	3	4

115

6	1	5	4	3	2
4	3	2	1	5	6
5	2	6	3	4	1
3	4	1	6	2	5
1	5	3	2	6	4
2	6	4	5	1	3

116

6	5	4	1	3	2
1	3	2	6	4	5
4	2	5	3	1	6
2	6	3	4	5	1
5	4	1	2	6	3
3	1	6	5	2	4

117

6	2	1	3	4	5
3	4	2	5	1	6
5	1	6	4	2	3
2	3	5	1	6	4
4	6	3	2	5	1
1	5	4	6	3	2

118

4	1	2	3	6	5
5	3	6	1	4	2
2	6	4	5	1	3
6	4	3	2	5	1
1	2	5	4	3	6
3	5	1	6	2	4

119

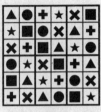

120

3	2	1	4	6	5
6	5	3	2	1	4
1	4	6	5	3	2
5	1	2	3	4	6
2	6	4	1	5	3
4	3	5	6	2	1

121

2	1	6	5	4	3
5	3	4	1	2	6
4	6	3	2	1	5
6	2	1	3	5	4
3	5	2	4	6	1
1	4	5	6	3	2

122

5	6	3	4	2	1
2	4	5	1	6	3
3	1	6	2	5	4
4	5	1	6	3	2
6	2	4	3	1	5
1	3	2	5	4	6

123

5	1	3	4	2	6
6	4	1	2	3	5
3	2	5	6	1	4
1	6	2	5	4	3
2	5	4	3	6	1
4	3	6	1	5	2

124

4	6	1	2	5	3
5	2	3	6	1	4
1	3	5	4	2	6
3	5	4	1	6	2
2	1	6	3	4	5
6	4	2	5	3	1

125

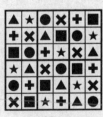

126

Solutions

127

5	2	1	9	6	7	8	4	3
8	4	3	2	1	5	7	6	9
7	9	6	8	4	3	1	5	2
3	6	8	1	9	2	4	7	5
1	5	9	3	7	4	6	2	8
2	7	4	6	5	8	9	3	1
6	8	5	7	3	1	2	9	4
4	1	7	5	2	9	3	8	6
9	3	2	4	8	6	5	1	7

128

6	4	2	3	1	9	7	5	8
5	8	7	4	2	6	9	3	1
9	1	3	5	7	8	4	2	6
3	2	9	6	4	5	1	8	7
8	5	1	2	9	7	6	4	3
4	7	6	1	8	3	2	9	5
7	6	4	8	3	2	5	1	9
2	9	8	7	5	1	3	6	4
1	3	5	9	6	4	8	7	2

129

6	4	7	2	8	3	1	5	9
1	2	9	7	5	4	3	8	6
3	8	5	6	1	9	7	4	2
4	5	8	1	7	6	2	9	3
9	6	1	4	3	2	8	7	5
2	7	3	8	9	5	4	6	1
5	3	4	9	2	7	6	1	8
7	1	2	5	6	8	9	3	4
8	9	6	3	4	1	5	2	7

130

8	6	1	5	9	2	4	7	3
7	9	4	3	1	8	6	5	2
2	5	3	6	7	4	8	9	1
9	2	6	7	5	3	1	8	4
1	4	7	2	8	9	3	6	5
5	3	8	4	6	1	9	2	7
3	8	9	1	2	5	7	4	6
4	7	2	9	3	6	5	1	8
6	1	5	8	4	7	2	3	9

131

9	3	5	6	8	1	4	7	2
8	7	4	2	5	9	3	6	1
1	6	2	4	3	7	5	9	8
6	4	1	3	7	2	9	8	5
2	8	3	1	9	5	7	4	6
5	9	7	8	6	4	1	2	3
7	2	8	5	4	3	6	1	9
4	5	6	9	1	8	2	3	7
3	1	9	7	2	6	8	5	4

132

7	5	9	4	8	1	6	3	2
8	2	1	7	3	6	4	5	9
4	3	6	9	5	2	1	7	8
5	4	2	3	9	8	7	1	6
1	8	7	6	2	4	5	9	3
9	6	3	1	7	5	2	8	4
2	7	5	8	6	3	9	4	1
3	9	4	2	1	7	8	6	5
6	1	8	5	4	9	3	2	7

133

8	4	1	7	5	9	2	6	3
9	6	2	3	8	1	5	4	7
7	3	5	2	6	4	1	9	8
5	1	6	4	7	2	8	3	9
3	8	4	5	9	6	7	2	1
2	9	7	1	3	8	6	5	4
6	7	8	9	2	3	4	1	5
1	5	9	6	4	7	3	8	2
4	2	3	8	1	5	9	7	6

134

4	3	6	8	5	2	7	1	9
2	7	1	3	4	9	8	5	6
9	5	8	1	7	6	3	2	4
8	6	4	5	9	1	2	3	7
7	2	9	6	8	3	1	4	5
3	1	5	4	2	7	9	6	8
6	9	7	2	3	4	5	8	1
5	4	3	9	1	8	6	7	2
1	8	2	7	6	5	4	9	3

135

6	8	3	2	7	5	4	1	9
9	5	7	1	4	6	3	2	8
2	1	4	8	3	9	5	6	7
8	4	2	5	9	1	6	7	3
1	3	6	7	8	2	9	5	4
5	7	9	3	6	4	2	8	1
3	9	8	6	2	7	1	4	5
4	2	1	9	5	8	7	3	6
7	6	5	4	1	3	8	9	2

Solutions

136

1	4	2	8	3	7	5	6	9
8	5	9	6	1	2	4	7	3
3	6	7	5	4	9	8	1	2
5	7	1	4	2	3	9	8	6
4	8	3	7	9	6	1	2	5
9	2	6	1	8	5	7	3	4
2	3	4	9	7	1	6	5	8
6	1	8	2	5	4	3	9	7
7	9	5	3	6	8	2	4	1

137

6	4	8	9	1	2	5	3	7
7	9	2	8	5	3	1	4	6
3	1	5	6	4	7	8	2	9
5	3	9	1	2	4	7	6	8
2	8	1	7	3	6	4	9	5
4	6	7	5	8	9	2	1	3
9	2	4	3	7	5	6	8	1
8	5	3	4	6	1	9	7	2
1	7	6	2	9	8	3	5	4

138

2	5	6	7	4	8	3	1	9
7	1	8	9	2	3	5	6	4
3	4	9	5	1	6	7	8	2
9	6	1	2	8	5	4	3	7
8	2	4	3	6	7	1	9	5
5	3	7	4	9	1	8	2	6
6	7	3	1	5	9	2	4	8
1	9	2	8	7	4	6	5	3
4	8	5	6	3	2	9	7	1

139

7	4	8	2	6	1	5	9	3
9	3	6	5	7	4	8	2	1
2	1	5	8	3	9	4	6	7
6	8	7	9	1	2	3	5	4
4	2	9	3	8	5	7	1	6
1	5	3	7	4	6	9	8	2
8	6	2	4	9	7	1	3	5
5	9	4	1	2	3	6	7	8
3	7	1	6	5	8	2	4	9

140

4	2	1	9	5	3	8	7	6
6	9	5	1	7	8	4	2	3
3	8	7	6	4	2	5	9	1
5	7	3	8	2	4	1	6	9
9	4	6	7	3	1	2	8	5
8	1	2	5	9	6	3	4	7
7	6	8	4	1	5	9	3	2
1	3	9	2	8	7	6	5	4
2	5	4	3	6	9	7	1	8

141

8	2	7	6	5	9	3	4	1
5	1	6	3	4	2	7	8	9
3	9	4	1	7	8	2	6	5
9	5	8	7	3	1	6	2	4
4	3	2	5	8	6	1	9	7
7	6	1	9	2	4	5	3	8
2	7	9	8	6	5	4	1	3
1	4	5	2	9	3	8	7	6
6	8	3	4	1	7	9	5	2

142

7	6	8	4	3	2	9	1	5
4	9	2	1	8	5	7	3	6
3	1	5	7	9	6	2	4	8
2	7	4	6	1	3	5	8	9
6	5	1	8	4	9	3	7	2
8	3	9	5	2	7	4	6	1
5	4	7	9	6	8	1	2	3
9	8	3	2	7	1	6	5	4
1	2	6	3	5	4	8	9	7

143

9	5	8	7	2	3	1	4	6
7	6	2	1	4	5	3	8	9
4	3	1	9	6	8	2	7	5
5	9	4	6	3	2	8	1	7
1	2	6	4	8	7	9	5	3
3	8	7	5	9	1	4	6	2
8	4	9	3	5	6	7	2	1
6	7	3	2	1	4	5	9	8
2	1	5	8	7	9	6	3	4

144

7	5	3	1	4	2	8	9	6
9	4	2	8	6	5	3	1	7
6	8	1	7	3	9	4	2	5
1	9	6	5	7	4	2	3	8
4	7	5	3	2	8	9	6	1
2	3	8	6	9	1	5	7	4
5	6	4	9	1	3	7	8	2
3	2	7	4	8	6	1	5	9
8	1	9	2	5	7	6	4	3

Solutions

145

5	4	9	7	1	3	8	2	6
3	2	1	5	6	8	7	9	4
8	7	6	2	9	4	5	1	3
9	6	4	8	3	7	1	5	2
2	5	8	9	4	1	3	6	7
1	3	7	6	5	2	9	4	8
6	1	2	3	8	5	4	7	9
4	9	3	1	7	6	2	8	5
7	8	5	4	2	9	6	3	1

146

6	3	7	4	1	9	2	8	5
5	8	4	2	3	7	9	6	1
2	1	9	8	6	5	3	4	7
1	5	3	7	9	4	8	2	6
4	6	8	1	2	3	5	7	9
9	7	2	6	5	8	4	1	3
8	4	5	3	7	1	6	9	2
3	2	1	9	4	6	7	5	8
7	9	6	5	8	2	1	3	4

147

4	5	6	2	9	7	8	1	3
1	7	8	4	5	3	2	6	9
9	3	2	1	8	6	4	5	7
7	9	4	3	2	5	6	8	1
5	2	3	8	6	1	9	7	4
8	6	1	7	4	9	5	3	2
2	4	7	6	3	8	1	9	5
6	1	5	9	7	4	3	2	8
3	8	9	5	1	2	7	4	6

148

7	2	9	8	1	5	3	6	4
4	3	1	6	9	7	5	8	2
5	6	8	2	4	3	1	9	7
9	7	4	1	5	2	8	3	6
6	1	3	4	7	8	2	5	9
8	5	2	9	3	6	7	4	1
3	9	5	7	2	4	6	1	8
2	4	6	5	8	1	9	7	3
1	8	7	3	6	9	4	2	5

149

3	8	5	9	4	6	7	1	2
6	4	7	3	2	1	8	5	9
9	1	2	7	5	8	6	4	3
7	6	3	1	9	2	5	8	4
2	9	1	4	8	5	3	7	6
4	5	8	6	7	3	2	9	1
1	7	6	5	3	9	4	2	8
5	2	9	8	6	4	1	3	7
8	3	4	2	1	7	9	6	5

150

6	4	1	9	3	7	2	5	8
8	7	2	5	1	6	4	3	9
9	3	5	2	8	4	6	1	7
4	8	9	7	6	1	3	2	5
1	2	6	3	5	8	9	7	4
3	5	7	4	9	2	1	8	6
7	1	8	6	4	3	5	9	2
5	6	3	8	2	9	7	4	1
2	9	4	1	7	5	8	6	3

151

5	7	6	1	8	9	4	2	3
9	4	1	3	6	2	7	8	5
2	3	8	4	5	7	6	1	9
1	8	9	6	3	5	2	7	4
6	5	7	2	1	4	9	3	8
3	2	4	9	7	8	1	5	6
7	6	2	5	4	3	8	9	1
4	9	5	8	2	1	3	6	7
8	1	3	7	9	6	5	4	2

152

5	1	8	4	7	3	2	9	6
7	2	3	9	1	6	8	4	5
9	4	6	2	5	8	7	3	1
4	3	9	6	8	1	5	2	7
2	6	5	7	9	4	1	8	3
1	8	7	3	2	5	9	6	4
8	9	4	5	3	7	6	1	2
6	7	2	1	4	9	3	5	8
3	5	1	8	6	2	4	7	9

153

6	4	8	9	2	5	7	3	1
9	3	5	8	7	1	2	4	6
1	7	2	4	6	3	9	8	5
7	6	3	1	4	2	5	9	8
8	5	1	3	9	6	4	2	7
2	9	4	7	5	8	6	1	3
4	8	9	6	1	7	3	5	2
3	2	7	5	8	4	1	6	9
5	1	6	2	3	9	8	7	4

Solutions

4	2	5	3	1	6
6	5	1	4	2	3
3	1	2	6	5	4
1	3	4	5	6	2
5	6	3	2	4	1
2	4	6	1	3	5

154

4	5	1	6	3	2
6	2	5	3	4	1
1	3	4	2	5	6
5	6	2	4	1	3
3	1	6	5	2	4
2	4	3	1	6	5

155

★	+	●		▲	✕
✕	■	▲			★
●	▲	★	✕		+
▲	✕	+	●	★	
+	★	■	▲	✕	
■	●	✕	★		▲

156

5	6	1	2	3	4
3	4	6	5	1	2
2	1	4	3	6	5
6	5	2	1	4	3
1	3	5	4	2	6
4	2	3	6	5	1

157

3	1	4	2	6	5
2	6	5	3	1	4
5	4	6	1	2	3
4	5	2	6	3	1
6	3	1	4	5	2
1	2	3	5	4	6

158

+	✕	■	★	▲	
▲	●	+	✕		★
★	■	▲		✕	
✕	▲	●	+	★	
■	+	★	▲		✕
●	★	✕			▲

159

1	2	4	3	6	5
6	5	2	1	3	4
3	4	5	6	2	1
4	6	1	2	5	3
5	3	6	4	1	2
2	1	3	5	4	6

160

6	5	2	1	3	4
3	2	6	4	5	1
1	4	3	5	6	2
4	1	5	6	2	3
2	6	1	3	4	5
5	3	4	2	1	6

161

+	★	✕	▲		
▲	■	★		✕	+
●	✕	■		★	▲
■	+	●	★	▲	✕
★	▲	+	✕		
✕	●	▲			★

162

163

7	2	9	4	1	6	3	8	5
5	4	3	2	8	9	1	7	6
6	1	8	5	3	7	4	9	2
1	8	2	9	4	5	7	6	3
4	7	6	3	2	8	5	1	9
9	3	5	6	7	1	8	2	4
3	6	1	7	5	2	9	4	8
2	5	7	8	9	4	6	3	1
8	9	4	1	6	3	2	5	7

164

3	2	1	7	5	6	8	4	9
9	8	6	2	3	4	1	7	5
5	7	4	1	8	9	6	3	2
7	1	2	5	9	3	4	8	6
8	3	9	6	4	1	5	2	7
6	4	5	8	7	2	9	1	3
1	5	7	9	2	8	3	6	4
2	6	3	4	1	5	7	9	8
4	9	8	3	6	7	2	5	1

165

9	4	7	2	1	3	6	8	5
1	3	2	8	6	5	7	4	9
6	5	8	9	4	7	1	3	2
3	2	1	5	9	8	4	7	6
4	7	9	1	2	6	8	5	3
5	8	6	7	3	4	9	2	1
7	6	5	3	8	9	2	1	4
8	1	4	6	5	2	3	9	7
2	9	3	4	7	1	5	6	8

166

2	4	8	7	5	3	9	1	6
7	6	3	8	9	1	2	5	4
5	9	1	4	2	6	7	8	3
8	5	4	9	6	7	1	3	2
3	1	6	2	8	5	4	7	9
9	2	7	1	3	4	5	6	8
1	8	5	6	4	9	3	2	7
4	7	2	3	1	8	6	9	5
6	3	9	5	7	2	8	4	1

167

7	1	4	9	8	6	5	3	2
5	6	8	2	3	7	4	9	1
3	2	9	1	4	5	6	8	7
2	4	3	6	5	1	8	7	9
8	9	6	7	2	4	1	5	3
1	5	7	8	9	3	2	4	6
4	7	1	5	6	9	3	2	8
6	3	2	4	7	8	9	1	5
9	8	5	3	1	2	7	6	4

168

4	2	1	8	7	9	6	5	3
7	5	3	2	1	6	4	9	8
8	9	6	3	5	4	7	1	2
3	7	9	4	8	1	5	2	6
1	6	8	5	3	2	9	4	7
2	4	5	6	9	7	8	3	1
6	8	2	9	4	3	1	7	5
5	1	4	7	2	8	3	6	9
9	3	7	1	6	5	2	8	4

169

3	1	4	8	2	5	9	6	7
9	2	7	6	4	1	5	8	3
8	5	6	3	7	9	2	4	1
2	4	3	1	5	8	6	7	9
7	9	5	4	6	3	8	1	2
1	6	8	7	9	2	4	3	5
6	3	9	2	8	7	1	5	4
5	8	1	9	3	4	7	2	6
4	7	2	5	1	6	3	9	8

170

5	8	7	4	9	2	1	6	3
9	3	6	7	1	5	8	4	2
4	1	2	6	8	3	7	5	9
3	5	1	2	7	8	6	9	4
6	4	8	1	5	9	2	3	7
2	7	9	3	6	4	5	1	8
8	6	5	9	4	7	3	2	1
1	9	3	8	2	6	4	7	5
7	2	4	5	3	1	9	8	6

171

5	4	2	6	8	7	3	9	1
3	1	7	4	5	9	8	6	2
8	9	6	1	3	2	7	5	4
1	8	3	7	9	4	5	2	6
2	7	5	8	1	6	4	3	9
4	6	9	3	2	5	1	8	7
9	2	4	5	7	3	6	1	8
6	5	8	9	4	1	2	7	3
7	3	1	2	6	8	9	4	5